Alianza Cien
pone al alcance de todos
las mejores obras de la literatura
y el pensamiento universales
en condiciones óptimas de calidad y precio
e incita al lector
al conocimiento más completo de un autor,
invitándole a aprovechar
los escasos momentos de ocio
creados por las nuevas formas de vida.

Alianza Cien
es un reto y una ambiciosa iniciativa cultural

Pío Baroja

La dama de Urtubi

Alianza Editorial

© Pío y Julio Caro Baroja
© Alianza Editorial, S. A. Madrid, 1993
Calle J. I. Luca de Tena, 15, 28027 Madrid; teléf. 741 66 00
ISBN: 84-206-4613-X
Depósito legal: B. 33.887-93
Impreso en NOVOPRINT, S.A.
Printed in Spain

1. Prólogo

—Hace ya muchos años —me dijo el médico de Yanci—, por las fiestas de Urruña, fui a visitar a los Dasconaguerre, unos amigos que tengo en este pueblecito vasco-francés.

Me invitaron, como de costumbre, a comer. La comida fue larga, abundante, buena para estómagos de triple fondo. Se comió, se bebió y se cantó de lo lindo. Tenía a mi lado, en la mesa, a un cura jovencito, que me propuso, para disipar los vapores de la digestión, dar un paseo hacia San Juan de Luz.

Acepté; salimos de la casa y fuimos andando por la carretera.

El cura me pareció hombre simpático, amable, jovial, tolerante; era organista de Sara y se llamaba Duhalde d'Harismendy. Más que por un cura de pueblo, se le hubiera tomado por un abate de gran ciudad, heredero de aquellos abates cultos y galantes del siglo XVIII.

Duhalde d'Harismendy me estuvo hablando de sus trabajos históricos, de las dificultades que en-

5

contraba para llevarlos a cabo y de las disquisiciones antropológicas acerca de los vascos, que le interesaban y le confundían.

Al avanzar por la carretera de Urruña a San Juan de Luz y pasar por delante del castillo de Urtubi, Duhalde d'Harismendy me dijo:

—Ahí tiene usted uno de los pocos castillos que tenemos en nuestra tierra de Labourd. Este castillo y el de Saint-Pée son los únicos que quedan en el país.

—Pero esto parece moderno —advertí yo.

—Sí, es un castillo derruido y reedificado varias veces, pero de fundación antigua. En el año mil ciento setenta aparece ya en nuestras crónicas un castillo de Urtubi; en el siglo catorce se habla en el catálogo de Thomas Carte de una torre almenada y fortificada de los Urtubis. Esta torre y sus dependencias fueron quemadas a mediados del siglo dieciséis por los españoles que entraron en Francia a las órdenes de Sancho de Leiva. De la antigua construcción sólo queda esta muralla del Norte, cubierta de hiedra.

—¿Y estos Urtubis eran señores feudales? —pregunté al abate.

—No, los vascos no hemos aceptado el feudalismo jamás. Eran gentes de influencia por sus relaciones y por sus parentescos. Los Urtubis tenían acción en España y ejercían el mando hereditario de un torreón levantado a orillas del Bidasoa, del cual ya no quedan vestigios.

Estuvimos contemplando el abate y yo el castillo y el magnífico parque próximo.

—Si quiere usted, entraremos —me dijo él—; conozco al actual propietario.

—No, gracias. Se me puede hacer tarde, y quiero volver al pueblo para la noche.

—¿Vuelve usted ahora?

—Sí.

—¿Por Vera o por Echalar?

—Voy por Vera.

—Iremos juntos hasta el crucero.

Volvimos los dos a Urruña, nos despedimos de nuestro anfitrión, Dasconaguerre, y, a caballo, emprendimos el camino de retorno.

Hablamos el abate de Sara y yo de una porción de cosas, y, entre ellas, de la fama de brujería que goza una parte de Navarra, sobre todo los alrededores de Zugarramurdi.

—Sí, en toda esta comarca ha habido brujas —me dijo Duhalde d'Harismendy—, y lo más curioso es que muchos centros de brujería estaban en las iglesias. La iglesia de Urdax, la de San Juan de Luz, la capilla del Espíritu Santo, del monte Larrum, y otros establecimientos religiosos, eran focos de brujería.

—Y ¿qué era esta brujería? —pregunté yo.

—Pues no lo sé. He leído varios procesos, entre ellos el de Logroño, que trae Llorente en la *Historia crítica de la Inquisición,* y el de San Juan de Luz, que está contado con detalles en el libro de

Pierre de Lancre titulado *Cuadro de la inconstancia de los malos ángeles y demonios,* y no he podido formar una idea clara del asunto. Había, indudablemente, en esta brujería reminiscencias de cultos antiguos, mezclados con prácticas de sortilegios traídos de Bearn. Lo que hace más confusos los procesos es, sin duda, que los jueces españoles y franceses no sabían vascuence, ni los procesados francés ni español.

—Entonces es muy difícil que se entendieran.

—¡Figúrese usted unos jueces severos y supersticiosos, capaces de dar crédito a los mayores disparates, y unos procesados llenos de susto y sobresalto, dispuestos a afirmar cualquier cosa si los perdonaban!

—Sí; se explica que el asunto quedara enmarañado.

—Por cierto, tengo una pequeña historia de brujería en que aparece una señorita de Urtubi, de ese castillo que hemos visto en nuestro paseo.

—¿Antigua?

—No muy antigua. Está escrita por un militar retirado, un tal Dornaldeguy, que vivió en Sara y fue soldado con Latour d'Auvergne, en tiempo de la Revolución. Usted sabrá que Latour d'Auvergne, además de ser el primer granadero de la República francesa, fue un iniciador de los estudios regionales. Pues bien: Dornaldeguy se contó entre sus discípulos. A juzgar por una nota, Dornaldeguy pensaba poner su relato en vascuence y enviárselo al ex ministro Garat, cuando éste vivía retirado en su finca de Ustaritz. Si le interesa a usted la historia, alguna vez que vaya usted por Sara recuérdemelo, y se la daré para leer.

Llegamos el abate y yo a la bifurcación del camino y él torció a la izquierda, siguiendo la carretera, y yo me dirigí a remontar el alto de Ibardin.

Dos años después, en tiempo de las fiestas del pueblo por la Navidad, iba yo a Sara montado a caballo.

No había entrado nunca en Francia por esta parte. Pregunté aquí y allá y fui siguiendo el curso de un arroyo por una angosta cañada.

Al salir a Francia me dio la impresión de que había recorrido un largo camino, no hacia el Norte, sino hacia el Mediodía.

Era para mí una gran sorpresa, marchando de los valles estrechos y fríos de la montaña de Navarra, al salir a Sara, ver el campo llano, el cielo claro, las viñas en los oteros, y los arroyos secos y pedregosos.

Al llegar al pueblo entré en una fonda muy arreglada, y, después de comer, pregunté por el abate Duhalde d'Harismendy.

Todo el mundo le conocía, y todo el mundo hablaba de él sonriendo.

Me dijeron que estaría en la casa parroquial, y me indicaron ésta. Se hallaba al lado de la iglesia y cerca del campo santo, en medio del pueblo.

Subí al presbiterio.

Duhalde d'Harismendy estaba en un gran salón tocando el armonio y cantando a coro con diez o doce chiquillos.

—Ya sé a qué viene usted —me dijo al verme—: por la historia del capitán Dornaldeguy.

—Sí.

—Pues se la voy a traer. Si quiere usted, puede llevársela. Me la devuelve cuando le parezca. Y perdone usted que no le pueda atender. Ha venido usted el día que estoy más atareado de todo el año.

El abate registró un armario de su biblioteca, mientras yo miraba desde el balcón el cementerio del pueblo, con sus cruces, sus lápidas y sus piedras redondas e irradiadas, símbolo del sol que los vascos ponen en las tumbas. Duhalde sacó un cuaderno de papel de hilo y me lo dio.

—No tengo prisa. Puede usted tenerlo el tiempo que quiera —dijo.

—Bueno —advertí yo—, no le molesto más. Siga usted con su coro.

—Perdone usted —replicó él, sonriendo—. Tenemos de huésped al maestro de capilla de la catedral de Bayona, y queremos lucirnos un poco.

Me despedí del abate, salí a la plaza y estuve un momento mirando el cementerio y oyendo el rumor de la música y el canto de los discípulos del abate Duhalde.

Al anochecer, cuando comenzaba el baile, en compañía de una pareja campesina salí de Sara.

Unos días después leía y copiaba en mi casa la historia escrita por el capitán Dornaldeguy, que es esta que viene a continuación.

2. Los señores de Urtubi

Aunque varias veces demolido y reconstruido otras tantas, el castillo de Urtubi, que se encuentra entre Urruña y San Juan de Luz, es uno de los más viejos del país labortano. Su posición, en la misma frontera, hizo que en el período de guerras entre españoles y franceses lo atacaran con gran frecuencia.

En el tiempo que nos ocupa —principio del siglo XVII—, Urtubi acababa de ser edificado de nuevo y adornado y robustecido por la parte de la entrada que da a la carretera, con dos gruesas torres de mampostería terminadas en cónicos tejados.

Urtubi era entonces una finca agradable y amena; su magnífico parque, sus bellísimas fuentes, sus variados alrededores, unidos a su situación, le hacían un lugar de esparcimiento y de recreo. Los varones del castillo tenían a poca distancia el monte y la orilla del mar, podían navegar en barca por la Nivelle y, alejándose un poco, pasear por el lago de Mouriscot.

La familia de Urtubi era muy antigua en la comarca; entre sus primeros jefes, el título había pasado por nombre; luego por extinción de la línea directa, cambiaron varias veces de apellidos. En los siglos xv y xvi, los varones de Urtubi se llamaban Alzate, y tenían parentesco con los Alzate de Vera de Navarra y de San Juan de Pie de Puerto. El dueño del castillo, en 1608, Tristán de Urtubi, contaba por entonces de cincuenta a sesenta años, y vivía en compañía de su sobrina Leonor Alzate Urtubi; era viudo, no tenía hijos de su mujer; pero toda la comarca sabía que los tenía naturales, y que uno de ellos, mosquetero del rey, le daba grandes disgustos. Tristán de Urtubi se mostraba abierto, expansivo y benévolo; su educación y sus lecturas le daban un carácter de transigencia y de comprensión; Urtubi, educado en la corte de Navarra, entre hugonotes, incrédulos y paganizantes, había sido soldado, había conocido al bearnés cuando éste era mozo, y fue luego uno de sus amigos y de sus compañeros en la guerra.

En su juventud, Urtubi se manifestó alegre, animado y decidido. La corte de Navarra, en donde se mezclaban las intrigas políticas y de amor con los juegos violentos y las discusiones filosóficas, fue el medio donde se desarrolló.

Al triunfar Enrique IV y sentarse en el trono de Francia, Urtubi se trasladó a París. Pronto se cansó del Louvre y de la vida cortesana.

Se hallaba desilusionado, entristecido por la

muerte de su mujer, y enfermo de gota, y decidió retirarse a su castillo.

El barón Tristán llevó a vivir en su compañía a su sobrina Leonor, que era entonces una niña; le puso dos ayas, nombró una criada con atribuciones de ama de llaves para la dirección de la casa, y él se dedicó a pasear y a pedir a Bayona los libros que había oído eran interesantes y dignos de ser leídos por un hombre ilustrado.

Urtubi no sabía apenas el latín, y tuvo que prescindir de lo escrito en este idioma; en cambio, conocía medianamente el italiano y el español.

Poco a poco fueron llegando a su casa, magníficamente impresas en París, en Amberes y en Amsterdam, las obras de Montaigne, de Rabelais, de Clemente Marot; las traducciones de Plutarco hechas por Amyot, y lo mejor de la literatura italiana y española: Ariosto, Maquiavelo, el Tasso, Hurtado de Mendoza, Lope de Vega y Cervantes.

Urtubi, al principio, tuvo que hacer un esfuerzo grande de atención para leer con asiduidad; pero llegó a encontrar sabor a la lectura. El *Quijote* le apasionó y lo discutió con sus amigos. Rabelais lo leía a trozos, y celebraba a carcajadas la risa cínica y brutal del padre de Gargantúa y de Pantagruel. Leía también el barón, con frecuencia, los cuentos alegres de Buenaventura des Periers, secretario e imitador en literatura de la reina de Navarra, cuentos que, si no tenían un gran mérito, eran para Urtubi interesantísimos, porque conocía las intrigas y los personajes que habían servido de modelo para escribirlos.

Urtubi, engolfado en la erudición, lamentó la esterilidad de su vida pasada. Experimentaba un gran sentimiento al pensar que hacía años había hablado con Miguel de Montaigne, entonces alcalde de Burdeos, como un señor cualquiera, sin rendirle homenaje ni pedirle consejos. Proponiéndose entrar en relaciones con personas cultas, escribió a su antiguo amigo el hugonote Agrippa d'Aubigné, quien le contestó alentándole a persistir en el trabajo y en el estudio. El barón siguió cultivando la amistad y la correspondencia con Agrippa, aunque los consejos austeros del hugonote, a veces, le hacían sonreír.

«Nuestros defectos y nuestras debilidades están dentro de la naturaleza humana», decía sonriendo.

En esta época, Urtubi tenía ya aire de viejo, la cara arrugada y el pelo y la barba canosos. Era de mediana estatura, los ojos azules grises, muy brillantes, el color sano y el aire sonriente.

Cuando sufría accesos de gota, gritaba, se desesperaba y blasfemaba. Luego decía a su sobrina.

—No me hagáis caso; cuando me duele mucho el pie, aparece en mí el soldado.

Leonor de Alzate, la sobrina del barón, la dama de Urtubi, era una mujer muy elegante, de mediana estatura, esbelta, el pelo rubio castaño, los ojos azules y el óvalo de la cara alargado.

Leonor era muy querida por todos los que estaban a su alrededor; tenía un gran encanto, una gracia fugitiva, de pájaro; se manifestaba muy cariñosa con la gente, y aunque no podía pasar por una belleza, los vecinos del castillo, campesinos y caballeros, aseguraban, convencidos, que no había en todo el país labortano una mujer como la dama de Urtubi.

Leonor llevaba una vida animada y alegre; paseaba a caballo en compañía de algunas amigas y de algunos hidalgos de los contornos y acudía a todas las fiestas que se daban desde el curso del Nive hasta el Bidasoa.

—Diviértete lo que puedas —le decía el barón.

La educación de la señorita de Urtubi había sido corriente en la época. De niña había estado en un colegio de Bayona, donde las monjas le enseñaron algunas labores y le imbuyeron un misticismo un tanto ñoño. El carácter de Leonor no se había desarrollado, y sus amigas le acusaban de versátil y de informal.

Urtubi, que quería contrarrestar la influencia monjil del convento, leía, a veces, a su sobrina trozos del *Heptamerón,* de la reina Margarita de Navarra, o de la vida de las damas galantes de Pedro de Bourdeilles, abate de Brantôme, a quien Urtubi estimaba como a gascón y como a soldado.

Leonor no aceptaba sin protesta la lectura de estas páginas licenciosas, y el barón tenía que dar explicaciones a su sobrina.

—Querida hija mía —le decía—: eres una diosa;

vives en las estrellas o, por lo menos, en las nubes;
conviene que vayas poniendo los pies en tierra, no
vayas a dar el mejor día el gran batacazo. Prefiero
que seas una amazona atrevida y audaz que no una
Santa Nitouche.

Leonor había tenido muchos pretendientes.

—Mi sobrina guarda en un catálogo en folio
los nombres de sus enamorados —decía Urtubi,
riendo.

Leonor consideraba como condición indispensa-
ble para casarse el estar enamorada. Uno de sus
pretendientes había sido el heredero del castillo de
Saint-Pée.

El joven Saint-Pée era de familia acomodada. Su
apellido y su torre eran tan antiguos como los de
Urtubi, y aparecían en las crónicas del Labourd en
épocas muy lejanas.

El matrimonio era proporcionado; pero Leonor
vaciló. El joven Saint-Pée tenía un aire avieso. Se
decía que era un calavera, y algunos lo tenían por
un hombre de mala sangre.

Una vieja niñera de Leonor, la Andre Anthoni,
le dijo a su señorita que no debía casarse con Saint-
Pée, porque éstos habían sido siempre enemigos de
la familia de Alzate. Leonor preguntó a su tío qué
había de verdad en esta aserción.

—¿Quién te ha contado eso? —preguntó Urtubi.

—Mi niñera, la Andre Anthoni.

—Es extraño. Sin duda se conserva en el pueblo
el recuerdo de la rivalidad de las dos familias. Pues

sí, es cierto. Los Urtubis y los Saint-Pée fueron anti-
guamente enemigos encarnizados. Se disputaban
la dirección del Labourd. Mis antepasados y los tu-
yos, que tenían su apellido, Alzate, lucharon repe-
tidas veces con los Saint-Pée. Los Alzates contába-
mos con partidarios en la parte de allá de los Piri-
neos; don Rodrigo de Alzate, patrono del barrio
que lleva su nombre en Vera de Navarra, era uno
de nuestros aliados. Teníamos también derecho a
ocupar y guarnecer un torreón fortificado en el Bidasoa. Al iniciarse en el país vascoespañol la guerra de los linajes, la política hizo que nosotros nos
uniéramos con el bando gamboíno y los Saint-Pée
con el oñacino. En 1413, un Saint-Pée mató a un
Alzate, señor de Urtubi, a traición, según nuestras
crónicas; los de Urtubi, reunidos con hombres de
solares amigos y con el capitán Fernando de Gam-
boa, que vino de Guipúzcoa, avanzaron hasta
Saint-Pée a sangre y a fuego; pero a la vuelta caye-
ron en una emboscada, y murieron asaeteados casi
todos los nuestros, entre ellos Fernando de Gam-
boa. Al desaparecer en Francia la influencia española, se extinguió la rivalidad entre oñacinos y
gamboínos, y en 1514, época en que Luis de Alzate, barón de Urtubi, era copero de Luis XII y su
bailío en el Labourd, las dos familias se reconcilia-
ron y se olvidaron los antiguos resentimientos. No
creo —terminó diciendo el barón— que estos motivos históricos sean causa bastante para que no
quieras casarte con Saint-Pée.

—Algo es este resentimiento antiguo —dijo Leonor—; pero hay, además, otros indicios. La dama de Urtubi hizo que sus criadas se enteraran de la vida que hacía su pretendiente. Por lo que contaron, el joven Saint-Pée, con dos o tres perdidos que le ayudaban en sus conquistas, se dedicaba a engañar a las muchachas de los contornos, llevándolas a los aquelarres y abusando de ellas.

En vista de estos informes, Leonor rompió definitivamente con Saint-Pée; no quería que le hablaran del noviazgo, y se encerró unos días en su casa.

Leonor no era completamente feliz; le faltaba algo; no soñaba con los triunfos de la corte ni con la vida de la gran ciudad; no aspiraba más que a encontrar un hombre que la quisiera y la protegiera.

La dama de Urtubi tenía la preocupación de ser española; se creía apasionada, un poco mística; consideraba los caballeros franceses demasiado brillantes y superficiales; creía que quizá en España hubiera hallado un hombre más serio, más ardiente, más como ella lo soñaba.

3. La secta de las *sorguiñas*

Desde hacía algún tiempo, todos los rincones de la tierra labortana y navarra estaban llenos de *sorguiñas*. En las dos vertientes del Pirineo vasco, desde Fuenterrabía hasta el Roncal y desde Bearn hasta Hendaya, las hechiceras imperaban, mandaban, curaban y hacían sortilegios.

¿Qué eran estas *sorguiñas*? ¿De dónde procedía su ciencia y su poder?

Para algunos, era la suya la clásica brujería de los romanos, llegada al país vasco por intermedio del Bearn; para otros, tenía esta secta reminiscencias de antiguas prácticas religiosas de los euscaldunas.

Como en todas las zonas selváticas de Europa no dominadas por la ideología del semitismo, en el país vasco existía un culto en donde la mujer era sacerdotisa: la *sorguiña*. En las religiones africanas nacidas en el desierto, el hombre es el único oficiante, el profeta, el salvador, el mesías, el mahdi. La mujer está relegada al harén, la mujer es un vaso de impurezas, la mujer es un peligro; en cambio, en las regiones de las selvas europeas, la mujer triunfa, es médica, agorera, iluminada; se sienta sobre el sagrado trípode, habla en nombre de la divinidad y se exalta hasta la profecía.

En los cultos semíticos, la mujer aparece siempre proscrita de los altares, siempre pasiva e inferior al hombre; en cambio, en las religiones primitivas de los europeos, aun en aquellas más pobres y menos pomposas, aparece la mujer grande y triunfadora. En la vida resplandeciente de los griegos es sacerdotisa y sibila; en la vida oscura y humilde de los vascos es *sorguiña*.

La hostilidad del semita por la mujer se advierte en los primeros cristianos; para los evangelistas, María tiene una importancia secundaria; en el suplicio de Cristo no se indica su presencia en las relaciones de San Mateo, de San Lucas ni de San Marcos; ninguno de ellos habla de sus dolores de Madre, ni cita la fecha de su muerte.

Estos primeros cristianos, de raza judía, no tuvieron, no pudieron tener el culto de la Virgen; fue necesario que el cristianismo tomara carácter europeo, se injertara en una raza politeísta, que había adorado a Venus, a Ceres y a Minerva, para que glorificase a la Madre de Dios.

En los aquelarres vascos se adoraba al macho cabrío negro, al *Aquerra*. ¿Quién era este *Aquerra*? ¿Qué filiación tenía? No era, seguramente, este macho cabrío un personaje sin tradición. Ya entre los egipcios y los griegos, Pan y Baco tomaban las formas del gran chivo; los indios lo adoraban en la cueva de Mendes; los antiguos persas sabían las relaciones estrechas que hay entre los demonios y las cabras.

Maimónides afirma que el culto del macho cabrío formaba parte del sabeísmo, de la religión de los astros y de la Naturaleza. Thor, dios escandinavo, marchaba en su carro tirado por chivos. En época racionalista se hubiera visto en este macho cabrío negro un mito cosmogónico; en época de fanatismo y de estupidez, se veía en él, como en todo, a Satán. El macho cabrío era animal fantástico y caprichoso; el jesuita Martín del Río acepta como un hecho probado que Lutero era hijo de una bruja y de un chivo. Hubiera sido curioso, si Lutero hubiera podido conocer el libro de Martín del Río, preguntarle al grande y colérico reformador alemán de quién creía que era hijo el jesuita.

Al principio del siglo XVII, la secta de las *sorguiñas* tomaba un incremento extraordinario en el Labourd, el Bearn y Navarra; poco después, el Gobierno español y el francés tenían que tomar cartas en el asunto, y los inquisidores de Logroño juzgaban a los brujos de Zugarramurdi, y el juez de Burdeos, Pierre de Lancre, enjuiciaba a los de San Juan de Luz.

Los inquisidores españoles cargaron el proceso con detalles cómicos y ridículos, y fueron benignos en sus sentencias; el juez de Burdeos, elegante y melodramático, se mostró más duro. Los inquisidores de Logroño aparecieron tales como eran: unos buenos frailes burdos, crédulos, torpes, sin malicia y sin inteligencia. Monsieur de Lancre se manifestó como un hombre de mundo y como un magistrado cruel.

En esta época, la secta de las *sorguiñas* había prosperado mucho; las damas más bellas lo eran; muchas señoras de San Juan de Luz, de Urruña, de Saint-Pée y de Sara no se recataban en confesarlo. Sus reuniones, sus *batzarres,* eran grandes mascaradas y bailes a manera de pastorales suletinas, adonde iban las personas más importantes del país, con la cara cubierta por un antifaz. Ni aun los mismos que asistían a ellas tenían idea clara de lo que ocurría; unos las pintaban como fiestas alegres; otros, como espectáculos horribles, en donde se evocaba a los muertos y se practicaban extraños ritos de necromancia.

Señalando el progreso de los aquelarres, dice el magistrado Lancre: «No se veían antes en ellos más que idiotas de las Landas; hoy, acuden gentes de calidad.»

«Es asombroso —añade el mismo— el número de demonios y de hechiceros que hay en el país de Labourd.»

¿Qué causa podía haber producido esta inusitada aglomeración de diablos? El señor de Lancre, hombre perspicaz, a su modo, da la siguiente explicación.

Según él, los misioneros de las Indias y del Japón han echado de estos países a los espíritus malignos, y los espíritus malignos se han refugiado en la tierra vasca.

¿Por qué habían elegido el Labourd, y no la Gascuña, el Armañac o la Turena?

Éste era uno de los secretos del señor de Lancre.

«El caso es —dice el magistrado, reforzando su argumentación— que muchos ingleses, escoceses y otros viajeros que vienen a cargar vinos a esta ciudad de Burdeos, nos han asegurado haber visto durante su viaje tropas de demonios en formas de hombres espantosos, que pasan a Francia.»

Después de señalar el probable origen de los malos espíritus, el señor de Lancre indaga los motivos de por qué en el Labourd se ha fomentado esta maldita casta, y dice, refiriéndose a los vascos:

«Son gente que andan a gusto de noche, como las lechuzas; son amantes de las veladas y de la danza, y no de la danza reposada y grave, sino de la agitada y turbulenta.»

El señor de Lancre, bordelés, que sabía hermanar la obligación con el placer y que tocaba el laúd en los entreactos de los juicios, y hasta hacía bailar a las *sorguiñas* en su presencia antes de mandarlas quemar, define así a las mujeres labortanas:

«Son ligeras y movedizas de cuerpo y de espíritu, prontas y animadas en todas sus acciones, teniendo siempre un pie en el aire, y, como se dice, la cabeza cerca del gorro...»

«En fin, es un país de manzanas: las mujeres no comen más que manzanas, no beben más que jugo de manzanas; lo que da ocasión a que muerdan tan a menudo la manzana prohibida.»

El señor de Lancre era un humorista injerto en un inquisidor; la hoguera, el laúd y la pluma constituían sus medios de convencimiento.

La secta de las *sorguiñas* vascas tenía algunos caracteres comunes a la brujería general y muchas particularidades especiales. Las *sorguiñas* no celebraban el sábado, sino otros días de la semana, sobre todo aquellos de grandes solemnidades en la iglesia.

Hubo tiempo en que se respetaba y se temía a las *sorguiñas*. En Navarra, como en el Labourd, todo el mundo iba a sus conciliábulos, que en Navarra se celebraban en prados, cuevas y sitios rústicos, y en el Labourd, en caseríos y en castillos.

¿Qué impulsaba a las gentes a asistir a estas reuniones, a estos aquelarres? A unos, la promesa de bacanales y de placeres, de orgías y de bailes desenfrenados; a otros, la inclinación por lo maravilloso. Algunos acudían a la cita a recoger de manos de una hechicera el filtro para hacerse amar; el conjuro o el veneno para vengarse. Los pobres, los desgraciados, locos de hambre, de desesperación y de rabia, iban a los aquelarres a insultar impunemente al rey, a la Iglesia y a los poderosos...

Quizá era éste, el de la protesta social, el aspecto más hondo de las sectas de los brujos. Así, la bruje-

ría francesa se complicó con la Jacquería a mediados del siglo xɪᴠ, y se hizo anárquica y revolucio-
naria.

La brujería, que era rebelde a la Iglesia y al
poder, tenía defensores en las clases acomodadas,
que creían en los conocimientos médicos de las *sorguiñas*.

En Navarra, las razas despreciadas, los agotes
del Baztán, los húngaros y los gitanos, se acogían a
ella, y las cuevas en donde las viejas hechiceras hacían sus ungüentos y sus elixires, eran refugio de
los perseguidos por la justicia y de los despreciados
por el pueblo.

Y en el fondo de estos cultos extravagantes y
bárbaros, latía un anhelo de fraternidad humana
quizá mayor que en las iglesias solemnes y pomposas, llenas de oro y pedrerías.

4. La ferrería de Olaundi

La ferrería de Olaundi estaba a orillas del Bidasoa, en la confluencia del río con un arroyo que bajaba del monte. Olaundi se encontraba en un sitio húmedo y hundido; era una ferrería antigua, vasta y en parte derruida. De lejos parecía un castillo con varias torres; tenía una presa, en donde se embalsaba el agua del arroyo; un antiguo taller arruinado, del que no quedaban más que unas enormes columnas de piedra gigantes, que nacían entre hierbajos; dos grandes chimeneas y varios murallones negros cubiertos de una vegetación parásita. Allí la hiedra y los helechos, la hierba del pordiosero y el yaro, el asfódelo, la ortiga y la parietaria, dominaban de tal modo, que las cercas, las paredes y los troncos de los árboles próximos estaban cubiertos de un verde profundo. Los viejos tejados de la ferrería, tachonados por las manchas redondas de los líquenes, tenían tonos de oro y de plata.

Durante el invierno, entre las lianas de la flora parásita, marchita por los fríos, a nivel del agua, se veían dos grandes arcos ojivales, que las gentes miraban como obra del diablo. Olaundi no tenía vecino alguno; únicamente, a poca distancia, se levantaba una ermita, abandonada desde que habían matado al ermitaño.

Antón de Jaxu, padre, y Antón de Jaxu, hijo, los dueños de la ferrería de Olaundi, eran grandes forjadores. Metidos en aquel vasto edificio lóbrego lleno de ratas, que subían del río, y de las arañas, que entraban por todas partes, los dos Antones trabajaban constantemente.

Era difícil pasar cerca de Olaundi, de día o de noche, sin oír el soplo asmático del fuelle de la fragua y la sinfonía de martillazos que brotaba de ella. El tin-tin de los martillos de los dos Antones llenaba el aire silencioso desde que salía el sol hasta mucho después que se ponía. Algunos aseguraban que los Antones martillaban tan fuerte para asustar a las ratas, que les disputaban sus dominios. Así, las gentes de mala intención llegan a desprestigiar las más altas virtudes.

Los domingos, los dos ferrones, que no querían, sin duda, alejarse de su casa, pescaban en el río.

Una mañana de junio, en que Antón de Jaxu, hijo, trabajaba en su fragua, se presentó en ella un joven vestido como un caballero de ciudad. Era un muchacho que había venido de las Indias y que se llamaba Machain. Miguel Machain, nacido en un caserío de las orillas del Bidasoa, había sido compañero de la infancia de Antón de Jaxu. Miguel, dejando el caserío a los catorce años de edad, marchó a Francia, país en donde estuvo algún tiempo, y desde el cual partió para las Indias.

Al entrar Miguel en la fragua de Jaxu no conoció al herrero; en cambio, éste reconoció en seguida a Miguel Machain. Era Machain un mozo de unos veinticuatro años, alto, esbelto, de ojos garzos y pelo castaño; vestía traje negro, pequeña gorguera blanca y capa parda.

—Maestro —dijo Machain en vascuence.

—¿Qué quieres? —preguntó Jaxu.

—Tengo una espada que le falta la guarda. ¿Podrías ponérmela?

—Veamos.

Machain sacó una larga espada de dos filos de debajo de la capa; el acero se doblaba como un junco, el puño estaba preciosamente labrado.

Jaxu tomó el arma, la examinó con detención y la tendió a Machain.

—¿No se puede componer? —preguntó éste.

—Según —dijo Jaxu.

Machain le interrogó con los ojos.

—Si esta espada es para ti una joya —dijo el forjador— y quieres que nosotros le pongamos la guarda de tal manera que no se note la compostura, eso no lo sabemos hacer.

—Quiero, principalmente, que esta espada me sirva —dijo Machain.

—Entonces vuelve dentro de dos días y estará compuesta.

Miguel Machain salió de la ferrería de Olaundi, y al marchar por el camino oía el tin-tan del martillo de Jaxu, que seguía, sin parar, sonando en la fragua.

5. Errotabide, el guipuzcoano

Dos días después, en la misma ferrería, mientras los Jaxu, padre e hijo, trabajaban, había en la fragua un grupo de varios campesinos, y entre ellos una mujer, que escuchaba a un hombre alto, seco, de ojos azules y de pelo rubio ya canoso. Este hombre era Errotabide.

Errotabide había ido a recoger la espada dejada en Olaundi por Machain, y hablaba de éste como de un amigo.

—Ese mozo parece que tiene muchas ambiciones —dijo Jaxu, padre—; le han querido casar con la hija de Navasture, y no quiere.

Errotabide sonrió.

—Claro que no quiere.

—Y ¿por qué? ¿Qué más puede desear ese muchacho?

—Ese muchacho —replicó Errotabide— aspira a casarse con la sobrina del barón de Urtubi, de Urruña.

—Eso es imposible —dijeron los Antones.

—¿Por qué?

—Machain no es noble.

—Es un soldado. Los Machain pueden ser tan antiguos como los Urtubis.

—¿Y se quieren la señorita de Urtubi y Machain? —preguntó Jaxu el joven.

—Sí —contestó Errotabide—; cuando Machain salió de su casa estuvo de pastor de Urtubi durante dos años; allí conoció a la sobrina del barón, se enamoró de ella y juró hacerse un hombre. A la primera ocasión que tuvo se embarcó para las Indias, pasó mil peligros, y a los ocho años volvió con dinero; fue a vivir a Urruña, se presentó a la señorita Leonor y llegó a enamorarla. Entonces en el pueblo se comenzó a hablar de estos amores de la dama de Urtubi con un aventurero; los rumores llegaron a oídos del barón, el que recomendó a su sobrina que fuera a pasar una temporada con unos amigos de Urdax.

—Y ¿está en Urdax esa dama? —preguntó el viejo Jaxu.

—Allá está.

—Y Machain, ¿qué va a hacer? —dijo Jaxu, el hijo—. ¿Qué aventura prepara? ¿Para qué quiere esa espada?

Errotabide, viendo que los dos ferrones, sus aprendices y el grupo de campesinos tenían todos gran interés en saber noticias, sonrió.

—Machain —dijo después— estuvo en Urdax hace días, y no pudo ver a la dama de Urtubi; preguntó allí quiénes eran los amos de la casa donde actualmente vive Leonor de Alzate, y supo que eran doña Graciana de Barrenechea y su marido, Miguel de Goyburu. Hizo más averiguaciones, y se enteró con sorpresa de que la tal doña Graciana es una *sorguiña* y la reina de los aquelarres. No sólo se enteró de esto, sino que supo que doña Graciana era amiga íntima del señor de Saint-Pée, que es un enamorado de Leonor, a quien persigue constantemente. Machain indagó que doña Graciana quiere hacer bruja a la dama de Urtubi y llevar un viernes al aquelarre de Zugarramurdi a Saint-Pée y a Leonor, para que así no puedan separarse jamás.

—Y Machain, ¿qué va a hacer?

—Machain irá conmigo al aquelarre para impedir las maniobras de doña Graciana.

Todos los que estaban en la ferrería contemplaron con admiración a Errotabide.

—Sí; vamos a ir los dos —siguió diciendo el guipuzcoano—; una señora de Sara, doña Micaela de Gaztelu, nos avisará el día fijo del aquelarre con veinticuatro horas de anticipación. Ella es la que ha dado su antigua espada a Machain. Parece que doña Micaela, en su juventud, fue amiga íntima de la madre de Leonor.

—Y ¿vais a ir solos al aquelarre? —preguntó Antón el viejo.

—Yo, por mi parte, iría solo —contestó Errotabide—; pero Machain ha ido a visitar al rector de Vera, y éste le ha dado unos escapularios y le ha dicho que se presente al comandante de soldados que vive en Iztea, quien le ha prometido a Miguel que le prestará seis de sus hombres más decididos.

Los dos ferrones, sus aprendices y los campesinos, contemplaron con asombro a Errotabide, y luego fueron cada uno contando lo que sabían de los *batzarres* o reuniones de las *sorguiñas*.

Errotabide, el más enterado, dijo que se celebraban los lunes, miércoles y viernes y en las grandes fiestas de la Iglesia; que comenzaban a las nueve y concluían a medianoche, pues los brujos no podían oír en el campo el canto del gallo; que a veces se celebraba una burla de la misa, y que se concluía la fiesta con un baile desenfrenado.

Jaxu, el padre, contó que a él le habían asegurado que las *sorguiñas* desenterraban a los muertos para comérselos, y que iban a hacer estas operaciones a los cementerios, llevando como antorcha el brazo de un niño fallecido sin bautizar, al que encienden por la parte de los dedos y que da luz como un hacha de viento.

Errotabide observó que si a él le enviaban de noche a buscar onzas de oro sin más luz que la que pudiese dar un brazo de niño encendido, no cogería muchas.

Jaxu, el hijo, añadió que una vez las *sorguiñas* habían salido a espantar a Martín de Amayur, el molinero, que iba a Zugarramurdi a su molino, y que, después de juguetear entre las zarzas, las vio desaparecer en un charco.

—Entonces es que esas *sorguiñas* eran ranas —replicó Errotabide.

Uno de los campesinos dijo que él había oído a un hombre muy enterado que el demonio, a los que cogía por su cuenta, hacía una herida con la uña, que dejaba una cicatriz indeleble, y que, además, marcaba como un sello en la niña del ojo de la persona endemoniada la figura de un sapo.

A esto agregó un viejo que Juanes de Echalar tenía la marca del diablo en la boca del estómago, y que era verdugo, y que estaba encargado de azotar a los muchachos que, habiendo ido al aquelarre, contaban luego en el pueblo lo que había pasado allí.

Una vieja dijo que un tal Juancho contaba que María Chipia y María de Yurreteguía, maestras en los sortilegios, se acercaron una noche a Vera, volando por los aires, y sacando a una porción de chicos de la cama, los llevaron al aquelarre de Zugarramurdi.

Uno de los aprendices de Jaxu, el más pequeño y el más pálido, miraba a los que hablaban con los ojos muy abiertos de espanto.

—No tengas miedo —le dijo Errotabide—, a ti no te llevarán las brujas, y si lo intentan, avísame a mí.

Errotabide, el guipuzcoano, se tenía por hombre fuerte; quizá se consideraba él también un poco brujo.

6. El viaje

Miguel Machain había hecho los preparativos para su gran aventura. Llevaría una escolta de cinco soldados y un sargento, que le dejaba el comandante de Iztea; le acompañarían, además, Errotabide y un joven amigo suyo, llamado Echeún, gran conocedor del terreno.

El 23 de junio, Machain recibió el aviso de doña Micaela de Gaztelu, diciéndole que a la noche siguiente, la noche de San Juan, se celebraría el aquelarre, al cual iban a acudir Leonor y Saint-Pée. El punto de reunión de todos sería la cueva de Zugarramurdi, desde donde marcharían al prado de Berroscoberro.

Machain avisó a los soldados; Errotabide cargó un caballo con provisiones, y por la tarde, después de comer, a la deshilada, salieron del pueblo.

El día estaba hermoso; el sol de junio calentaba suavemente la tierra; tomaron todos el camino hacia Francia. Subieron luego una cuesta cubierta de arcilla húmeda, donde se resbalaban los pies; remontaron un arroyo, y en una cañada con altos árboles se detuvieron a descansar y a echar un trago.

Tras el descanso, comenzaron de nuevo la marcha; siguieron por el borde de un arroyo que baja a Sara, corriendo entre bosques espesos, y abandonando después sus orillas, subieron un talud, desde el cual se divisaba un valle estrecho, y a la salida de éste, la llanura francesa.

Hicieron una segunda parada. Machain quería que su gente llegara sin fatiga. Después allí la España montañosa y áspera concluía en un promontorio que penetraba en la llana y suave Francia. Este promontorio, última estribación del monte de Peña Plata, parecía en su cumbre un colmillo blanco retorcido, y tenía al pie el caserío blanco de un pueblo: Zugarramurdi.

Era la caída de la tarde cuando Machain y sus amigos reanudaron la jornada; el cielo se había nublado; poco después comenzó a llover. Uno de los soldados, a quien la aventura, en el fondo, no le dejaba tranquilo, exclamó:

—Mal tiempo vamos a tener.

Se cobijaron en una borda, donde pasaron largo rato.

—Hay que seguir —dijo Machain.

—¡Bah! Esto no es nada —exclamó Errotabide—. ¡Adelante! ¡Adelante!

Siguieron marchando; la lluvia iba tomando cada vez más fuerza; nubarrones negros y violáceos aparecían por encima de los montes. La tormenta hizo oscurecer el cielo y se precipitó la noche sobre el valle. De pronto, relampagueó un rayo en zigzag sobre las cimas de Peña Plata, y a éste siguieron otros y otros, que formaban haces deslumbradores; las piedras de la cumbre del monte parecían fundidas al blanco; tras de los relámpagos retumbaban los truenos y arreciaban los chaparrones.

El viento helado parecía luchar con furia contra los viajeros; los nueve hombres marchaban en silencio, buscando las piedras donde afirmar el pie.

En esto, el caballo que llevaba las provisiones, espantado por un relámpago, se echó hacia atrás y desapareció.

—Voy por él —dijo Errotabide, y se hundió en la tempestad y en la noche.

Los soldados de Machain siguieron adelante. Echeún los dirigió a un caserío que se divisó a la luz de una centella.

Al acercarse, oyeron rumor de voces y de panderetas. Estaban cantando.

Al llamar, los que cantaban dentro se callaron.

No querían abrir. Machain y Echeún, con halagos; los soldados, con amenazas, insistieron en que se les abriese, y una mujer, por fin, les franqueó la puerta. El caserío era muy pobre y destartalado. Se llamaba Subitarte.

Todos pasaron y entraron en la cocina y se acomodaron al lado del fuego. La mujer del caserío era viuda; estaba en compañía de su padre, un viejo achacoso; de dos chicos, que tocaban la pandereta, y de un niño pequeño, que dormía en la cuna al lado de la lumbre.

Echeún sacó la bota de vino y bebieron todos.

—¿Y Errotabide? —preguntó Machain.

—Errotabide ha desaparecido —dijo Echeún.

—¿Cómo?

—Sí; ha ido detrás del caballo que llevaba nuestras provisiones.

Machain salió al raso del caserío, metió dos dedos en la boca y silbó de una manera tan aguda, que debió de oírse el silbido a gran distancia. Nadie contestó. Poco después volvió a silbar, entonces se notó que contestaban de lejos. Un cuarto de hora más tarde, Errotabide apareció en el caserío con el caballo del diestro, que dejó en la cuadra.

—La tormenta ha pasado —exclamó—. Vamos a Zugarramurdi.

—¿Será este hombre brujo? —preguntó a su compañero el soldado a quien inquietaba la expedición.

El compañero se encogió de hombros.

Machain dio unas monedas a los chicos del caserío Subitarte, se despidió de la mujer y de su padre y salió de nuevo con su gente al campo.

Echeún, que había perdido el camino por la tormenta, lo encontró en seguida, y como era estrecho, comenzaron todos a marchar en fila. Un perro aullaba a lo lejos.

—Mala señal —dijo el soldado supersticioso.

—¡Bah! —replicó el otro—. Hace diez años que en mi barrio aúlla un perro todas las noches. Por ahora no me ha ocurrido nada malo.

Había dejado de llover; hacía una hermosa noche; limpia, clara, estrellada.

A un lado y a otro del camino había grandes árboles entre maleza y monte bajo.

—No avancemos —dijo el soldado medroso de pronto.

—¿Qué hay? —preguntó Machain.

—Allí, allí hay algo agazapado. Es un bulto blanco, un dragón.

—A mí me parecen varias serpientes enroscadas —aventuró otro.

Machain empuñó la espada, el sargento hizo lo mismo, y, precedidos de Errotabide, que enarbolaba el palo, se acercaron al bulto blanco.

—Es un árbol seco —dijo Machain.

Errotabide se sentó encima.

Los soldados se rieron de su asustadizo compañero, y siguieron la marcha. Las ramas de los árboles temblaban con un ruido misterioso en la noche tibia y húmeda; el agua, en los regatos, parecía cantar en el silencio solemne del campo...

Errotabide sacó del bolsillo del pecho una pequeña flauta rústica y comenzó a tocar aires alegres. De pronto, se calló; un ruiseñor le contestaba en la oscuridad. Errotabide se detuvo para oír, y los soldados con él.

—No nos detengamos. ¡Adelante! ¡Adelante!
—gritó Machain.

Siguieron marchando. Al acercarse a la cueva de
Zugarramurdi, Echeún advirtió a Machain, y Machain a los demás, que estaban cerca del misterioso
antro.

El camino pasaba por debajo de una arcada; a la
izquierda se abría la enorme boca de la cueva, por
la cual no se distinguían más que sombras. Al acostumbrarse la pupila, se iba viendo en el suelo como
una sábana negra que corría a todo lo largo de la
gruta, el arroyo del infierno, *Infernucoerreca,* que
palpitaba con un temblor misterioso. En la oscuridad de la caverna, brillaba, muy en el fondo, la luz
de una antorcha que agitaba alguien al ir y venir.

Unos cuantos murciélagos volaban a su alrededor; de cuando en cuando se oía el batir de las alas
de una lechuza y su chirrido áspero y estridente.

—Éste es el punto de cita —dijo Errotabide.

—Aquí tenemos que entrar —añadió Machain.

Los soldados se persignaron y sacaron las espadas.

—¡Adelante! —gritó Errotabide, y entró en la
cueva saltando, haciendo molinetes con el palo,
dando grandes zancadas.

Errotabide no parecía temer a las brujas; sin
duda, conocía sus rincones y sus aquelarres.

7. La cueva de Zugarramurdi

Echeún había encendido una linterna, y avanzó
en la cueva, seguido por los soldados. Con aquella
escasa luz parecía que el piso de arena iba a desaparecer a cada instante y que el arroyo se encontraba a gran profundidad. Sin embargo, no era así; el
suelo de la cueva bajaba en una pendiente suave y
concluía en el arroyo, que al principio tenía bastante anchura y muy poca profundidad. Más lejos
seguía alargándose la caverna al borde de *Infernucoerreca,* hasta que el arroyo se estrechaba, salía al
campo, y la gruta terminaba en una abertura angosta. El antro no estaba desierto; a la luz de una
antorcha se veían dos viejas que sacaban manojos
de hierbas secas guardadas en un rincón e iban cla-
sificando la mandrágora y el beleño, el estramonio
y el muérdago, el acónito y la belladona.

—¿Vamos a quedarnos aquí? —preguntó el jefe
de los soldados.

—Sí.

Echeún clavó un palo en el suelo, ató a él la caballería por el ronzal y le colgó del cuello un saco de maíz para que comiera.

Errotabide tomó la linterna y desapareció en la cueva y volvió cargado con una puerta grande, que servía de puente para cruzar el arroyo de un lado a otro. Las dos viejas que estaban amontonando hierbas refunfuñaron al ver que quitaba el puente; pero Errotabide no les hizo caso.

—Para hacer fuego —dijo a sus compañeros, tirando la puerta al suelo.

Echeún y los soldados, a patadas y golpes, rompieron la puerta y la redujeron a un gran montón de astillas. Después trajeron helechos secos y encendieron una hermosa hoguera.

—Ahora lo que hay que hacer es cenar —dijo Errotabide—, y cuando comience a venir gente, no estar silenciosos, sino gritar y alborotar como el que más, para no infundir sospechas.

Comenzaron a cenar. A la luz de las llamas se veían las rocas arenosas, blancas, fantásticas, que parecían sombras envueltas en fúnebres sudarios; se divisaba también el techo alto, lejano, hacia donde subía el humo de la hoguera y el riachuelo que corría, negro, con resplandores rojizos. Aquel arroyo producía un rumor sibilante, al que acompañaba el ligero estallido de las gotas de agua que caían de las peñas como lágrimas.

Mientras cenaban, empezó la cueva a llenarse de gente. Unas viejas harapientas entraron, alumbrándose con un manojo de hierbas secas resinosas. Iban dirigidas por una mujer alta, hombruna, que llevaba orgullosamente una corona de muérdago sobre su cabellera blanca. Avanzaron por la orilla del arroyo hasta unirse a las dos arpías que escogían hierbas a la luz de la antorcha.

Una de las viejas recién venidas llevaba un brazado de leña en la cabeza; lo echó en el suelo y encendió una hoguera. Después, otra se acercó al arroyo, llenó de agua un caldero y lo colocó en el fuego sobre dos piedras.

La vieja hechicera de la melena blanca y la corona de muérdago comenzó a echar las hierbas en el caldero mientras murmuraba algunas palabras mágicas; las otras formaron un corro alrededor. Las llamas brillaban con sus reflejos de oro y sangre, iluminando el círculo de las *sorguiñas*.

Poco después comenzaron a entrar en la cueva grupos de muchachos y de muchachas; se oyeron risas contenidas, murmullos y besos en la oscuridad.

Se encontraba allí la gente de Vera, de Lesaca, de Echalar, de Añoa, de Zugarramurdi y de Urdax; entre los vasco-franceses, la había de San Juan de Luz y de Urruña, de Ascain y de Oleta, de Sara y de Saint-Pée; para muchos era aquello una gran romería animada y alegre. Los que traían leña encendían una hoguera y hacían su corro.

Llegaron también un grupo de gitanos, en compañía de unas cascarotas de Ciburu y unos agotes de Arizcum, que llevaban como distintivo una pata de ave, cortada en paño rojo, cosida en la ropa, a la espalda, para que nadie se acercase a ellos.

A pesar de su fama de leprosos, eran estos muchachos altos, bien formados, rubios y de ojos azules. Su ascendencia de los godos se advertía en ellos. Se esforzaban en manifestarse decididos, pero tenían una gran timidez.

A medida que se acercaba la hora de la cita, se presentaban nuevas gentes: más de una docena de curas del Labourd, armados de espada, en compañía de sus queridas, que eran las *sorosas* de las iglesias, a quienes los franceses llamaban benedictas, llegaban dispuestos a bailar en el aquelarre y a decir la misa negra.

Uno de estos curas dejó su sombrero en el suelo. Errotabide se lo puso, y cantó:

> *Donostiarrac ecarridute*
> *Guetariatic aquerra*
> *Campantorrian ipiñidute*
> *Aita santubat degula.*

Después, Errotabide cantó otras coplas y bailó dando grandes saltos.

Se aplaudió y se celebró el buen humor de aquel hombre.

Luego, como animados por el ejemplo de Errotabide, unos cuantos muchachos labortanos cantaron una canción a coro, llevando unos la nota alta y otros el acompañamiento en la octava baja con verdadera maestría. La cueva resonó con estas voces como la nave de una catedral.

A última hora fueron apareciendo los directores y mangoneadores del aquelarre de Zugarramurdi. Primero vino el rector del pueblo con tres frailes del antiguo monasterio de San Salvador de Urdax; después, el señor de Saint-Pée, con sus amigos, casi todos enmascarados; por último Graciana de Barrenechea, en compañía de su marido, Miguel de Goyburu, y de tres señoritas cubiertas con antifaces. Al momento conoció Machain entre ellas a Leonor de Alzate, que vestía un traje de amazona.

Graciana de Barrenechea y Miguel de Goyburu, como reyes del aquelarre, eran los que mandaban allí, y dispusieron que se diera de beber a todo el mundo.

Corrieron los vasos de una mano a otra; los hombres bebieron vino y las viejas aguardiente.

Miguel de Goyburu y el señor de Saint-Pée iban llevando en jarras un líquido dulce, que ofrecían a las mujeres, y que era el cocimiento de estramonio y de mandrágora, endulzado con azúcar y aromatizado después, que habían preparado las *sorguiñas*. Al aproximarse los dos hombres a Leonor, Machain, que se había puesto el antifaz, se acercó a ella y le agarró del brazo.

—¿Qué quiere usted? —preguntó ella asustada.

—No beba usted —le dijo él.

—¡Miguel! ¿Eres tú?

—Sí; aquí estoy para defenderla. No tenga usted miedo.

Leonor mojó los labios en el líquido y se limpió después inmediatamente con el pañuelo. Desde que había entrado en la cueva estaba asustada, horrorizada; temía que le fuese a dar un vértigo.

El barón de Saint-Pée miró a través de su antifaz a aquel otro enmascarado que hablaba con Leonor; supuso sería algún caballero vecino de Urtubi, que la conocía.

Graciana de Barrenechea, al pasar delante del grupo de los agotes, vio uno de estos muchachos y quedó prendada de él. Entusiasmada, se le acercó, le habló y se sentó a su lado, y se quitó el antifaz para que el hombre de raza oprimida la contemplara a su sabor.

Era Graciana una hermosa mujer de ojos negros y de cabellos de ébano; tenía más de treinta años y formas opulentas; vestía traje de terciopelo verde y llevaba los ojos y los labios pintados.

El agote, ante aquella mujer ardiente que le miraba como una leona en celo, permanecía en una actitud encogida y humillada.

Las dos señoritas y Leonor se separaron de Graciana. Una vieja se les acercó llevando en las manos y en los hombros sapos y lagartos. Algunos de estos sapos tenían la particularidad de llevar un pequeño hábito de fraile, con su capucha, atado en la cintura por un cordón. La vieja invitó a Leonor y a sus amigas a que acariciaran a los sapos vestidos, lo que ellas no quisieron hacer.

Entre los que formaban la comitiva de Saint-Pée, había un joven barrigudo, movedizo y charlatán, de cara abultada, que no llevaba antifaz. Este joven, que había sido fraile, divertía a los hidalgos labortanos recitando canciones grotescas y adulándoles con el cándido servilismo de un poeta. El ex fraile poeta se llamaba Cahusac.

—¡Abracadabra! ¡Abracadabra! —gritó con voz estentórea al entrar en la cueva.

Ofrecieron a Cahusac el líquido de las *sorguiñas,* y él, rechazándolo con desprecio, murmuró:

—No, no; nada de enjuagues; vino, y siempre vino, Falerno y Céculo —y, levantando el brazo, exclamó en latín macarrónico:

Gaudeamus igitur, juvenes dum sumus!
Post jucundam juventutem
Post molestam senectutem
Nos habebit humus!

Cahusac siguió con sus *gaudeamus,* demostrando hasta la saciedad su buena procedencia frailuna.

—Cahusac, tienes que hacer una invocación elocuente —le dijo uno de los amigos de Saint-Pée.

—Ahora mismo —contestó Cahusac—. Dejadme un minuto de recogimiento y de vino. ¡Sombras augustas de los grandes magos y nigrománticos: de

Apollonius, de Alberto el *Grande,* de Agrippa, de Fausto, de Merlín y de Paracelso, inspiradme!

Pasado un momento, el poeta, agitando una antorcha por encima de su cabeza, dijo:

—¡Hermanos euscaldunas! ¡Hijos del sol!

—¡Bien, Cahusac, bien! —gritaron sus amigos.

Cahusac hizo un gesto majestuoso, imponiendo silencio.

—Perdonad —siguió diciendo— que un poeta del Bearn intervenga en vuestras lupercales y penetre en este antro recóndito y sagrado para dirigiros un saludo. Yo soy el poeta satírico de la escuela de Villón y de Clemente Marot; yo soy el poeta enamorado de la vida villana, aquel que cantaba los bellos ojos de Nanette y los hoyitos de las mejillas de Javotte... Pero hoy, mi musa satírica y suburbana ha calzado el alto coturno y ha encontrado en el agua que mana de esta misteriosa espelunca la fuente de Hipocrene...

...Ahora, en este momento en que toda la vida oscura de la Naturaleza palpita en el misterio; en que se oyen los mil ruidos furtivos de la noche; en que el agua de este arroyo va llevando su canción mixta de alegría y de queja al mar... Ahora que en el negro cielo tiembla una estrella de plata; ahora que el terrible Basojaun lanza su mirada roja por entre las ramas del bosque; en que la Leherensuguia de las cuevas pirenaicas extiende sus siniestras alas por el aire, y la corneja lanza un grito agorero en las selvas; ahora, el poeta oye la voz de la soledad, la voz del silencio, que se levanta como la vaga niebla del amanecer, y dice a sus vasallos, a la terrible fauna que puebla el inquieto imperio de la noche: ¡Hadas! ¡Silfos! *¡Sorguiñas!* ¡Basojaunes! ¡Lamias!, que peináis vuestros cabellos de oro en los arroyos de Zugarramurdi. ¡Espíritus del viejo solar vasco! ¡Andad! ¡Corred por las perfumadas vertientes del monte Larrum! ¡Despeñaos por entre las rocas! ¡Marchad volando por los regatos, y rendid homenaje a las bellas damas que adornan esta selvática morada! Vosotras, sabias hechiceras, envejecidas en el estudio de la ciencia de los sortilegios, sacad de las hierbas los perfumes más dulces, los néctares más enervadores, que hagan olvidar el *nepenthes* griego; dadnos en el fondo del vaso la alegría para correr en locas rondas por los prados virgilianos, el corazón ligero para amar a nuestras compañeras y el ingenio sutil para tejer en su honor pensamientos sublimes...

...Y cuando Cupido, en combinación con Morfeo, haya dominado los espíritus de nuestras beldades...vosotros, hidalgos, caballeros gentileshombres, velad su sueño, defendedlas contra las hidras y los dragones que vagan en la noche y arrancad las alas de las mariposas y cubrid con ellas delicadamente sus pupilas, para que no las dañen los rayos perniciosos de la luna...

—¡Bravo, Cahusac, bravo! —gritaron sus amigos—. El Bearn ha quedado muy bien.

8. La noche de San Juan

En tanto que Cahusac derrochaba su elocuencia y su erudición clásica ante su auditorio selecto, brotaban ráfagas de locura, de superstición y de erotismo en la masa de gente campesina que llenaba la cueva.

Una mujer joven, tirada en el suelo, gritaba furiosa:

—¡Ya está aquí! ¡Lo veo! ¡Me tiene entre sus brazos! ¡Ven, querido mío! ¡Ven!

Una vieja, subida sobre una piedra, peroraba en vascuence contra la religión y la Iglesia. Era una vieja escuálida, vestida de negro, iracunda y siniestra. La gente la escuchaba, asintiendo, y los curas sonreían. Otra mujer, contrahecha, idiotizada, una bufona, danzaba pesadamente, agitando una pandereta, produciendo la risa de todos, y un viejo cínico seguía a las mujeres medio desnudo.

Graciana de Barrenechea, excitada por el líquido de las *sorguiñas,* comenzaba a sentir los efectos de la mandrágora y del estramonio. Sus pupilas, dilatadas, brillaban como las de un felino en su cara roja y sofocada. Graciana se acercó al muchacho agote, le habló con su voz más dulce y le besó en los párpados y en la boca.

Leonor, al ver a su amiga en aquel estado, murmuró varias veces:

—¡Dios mío! ¡Dios mío! ¡Qué va a pasar aquí!

Errotabide se acercó a Machain, y le dijo:

—Va empezar la ronda; yo iré el primero. Agarraos de la mano.

Errotabide cogió de una mano a Leonor, quien dio la otra a Machain.

—No se suelte usted por nada —le dijo éste a Leonor.

—Tú no me sueltes, Miguel; aunque me hagas daño, no importa.

Juanes de Goyburu comenzó a tocar el tamboril y el pito, y Juan de Sansín a llevar el compás, tañendo el tambor.

—¡Vamos! ¡Vamos! *¡Calejira! ¡Carricadantza!* gritaban los jóvenes.

—*¡Aquerra! ¡Aquerra!* —decían las viejas—. *¡Aquerra beti!* (Siempre aquerra.)

Comenzó a prepararse la ronda. Saint-Pée, con su pareja, quiso entrar en la cadena entre Leonor y Machain; pero éste rechazó varias veces violentamente sus intentos. Saint-Pée lanzó a Machain una mirada furiosa a través de su antifaz, y a no ser por sus amigos, hubiera sacado la espada y atacado a su desconocido rival.

La agitación en el antro se había calmado, y todos, hombres y mujeres, formando parejas, estaban en la fila. Juanes de Goyburu comenzó a tocar el aire más saltarín y endiablado de su repertorio; Sansín llevó el acompañamiento, y la larga cadena, como una serpiente que desenvuelve sus anillos, salió de la cueva aullando, gritando, lanzando *irrintzis* salvajes al aire y saltando por el campo. La luna comenzaba a iluminar la tierra. Pasaba la fila por los prados, por los bosques, como un huracán. La flanqueaban las *sorguiñas* con hachas de viento en las manos; los perros las seguían ladrando; Goyburu, el tamborilero, quebraba y alteraba el ritmo de sus tocatas y les daba una animación extraordinaria. En las cimas de los montes, grandes hogueras ardían en celebración del solsticio del año, recuerdo venerable del culto del Sol. La noche estaba húmeda y tibia. Las estrellas corrían por la bóveda celeste. Se oía de cuando en cuando la nota de flautas de los sapos, y a lo lejos el lamento triste de los búhos en celo.

Errotabide era el primero de la fila, y, por tanto, el director de los movimientos de la gran cadena. Como hombre de fantasía, tenía buenas ocurrencias; tan pronto se paraba en seco y chocaban las parejas y quedaban abrazados unos a otros, como obligaba a que se diera una vuelta a un caserío, o, quedando él inmóvil, hacía que se fuera formando a su alrededor un rollo de personas, hasta que se deshacía y se volvía a la marcha, saltando al compás de los aires endiablados del tamborilero. El vecino del caserío, que aún estaba despierto, se asomaba a mirar, temblando de espanto, por el resquicio de la ventana; quizá alguno veía por el aire a las brujas montadas en chivos y en palos de escobas, que pasaban raudas y veloces.

Las *sorguiñas,* al acercarse a los apriscos, abrían las puertas para que saliesen las cabras y las ovejas; otras golpeaban con palos los matorrales y los árboles. Al llegar a los prados anchos y abiertos se bailaban rondas vertiginosas alrededor de una hoguera, formando un gran círculo, que aumentaba y disminuía de tamaño. Las cascarotas de Ciburu se distinguían por sus brincos y porque levantaban el pie a la altura de la cabeza. Los tamborileros tocaban entonces el aire más movido, y desenfrenado. Después se seguía adelante, cantando, gritando, riendo a carcajadas. La mansa luna de esta noche de Wallpurgis iluminaba la selva candorosa y púdica, llena de rumores y de perfumes. Era un espectáculo extraordinario, una fiesta de los instintos, de la libertad, del amor... Era la rebeldía contra la negación de la vida, representada por la Iglesia poderosa y tiránica; era la protesta oscura de las selvas, de los arroyos, de las fuentes, contra los mitos sombríos y secos ideados en los desiertos.

—¡*Aquerra! ¡Aquerra! ¡Aquerra beti!* —vociferaban las viejas.

A la media hora de salir se llegó al prado de Berroscoberro, que ya por las cercanías comenzaban a llamar el aquelarre.

Había que cruzar, para llegar a este prado, un camino hundido, sombrío, cubierto de árboles espesos. Al entrar en la sombra, los gritos cesaron. Las mujeres y los hombres iban silenciosos, excitados por el deseo y el misterio. Al recorrer la sombría entrada aparecieron en el aquelarre.

Era ésta una pradera grande, con una ligera pendiente, limitada en la parte alta por una cortina tupida de árboles. La luna, levantada encima del boscaje, iluminaba el prado y dejaba una franja de él a la sombra. En esta parte de la sombra, sobre un montón de piedras, y a la luz de las antorchas y de las madejas de resina, se veía, en pie, un gran macho cabrío negro. A un lado y a otro de él estaban los reyes del aquelarre: Miguel de Goyburu y Graciana de Barrenechea; a sus pies se habían agrupado las *sorguiñas,* acompañadas de perros, cabras, ovejas, y llevando en la mano sapos y lagartos.

Graciana tenía el brazo derecho rodeando el cuello del agote que había escogido como compañero; Goyburu contemplaba con una burlona sonrisa la gente que iba viniendo del prado de Berroscoberro y los ligeros vapores que salían de la tierra húmeda.

Uno de los curas hizo una parodia de la misa, que duró poco tiempo y que no produjo expectación entre la gente; después, Graciana mandó que toda la fila pasara por delante del trono del macho cabrío.

Graciana, por indicación del diablo, tenía que emparejar a todos.

—Tú —dijo señalando a Errotabide—, con ésta —y señaló a una de las señoritas amigas de Leonor.

—Tú —y señaló a Leonor—, con aquél —indicó a Saint-Pée, que se había acercado al grupo.

—¿Quién manda eso? —preguntó Machain audazmente.

—Nuestro señor.

Machain sacó su espada y mostró la cruz al negro *Aquerra*. Viendo que no hacía efecto alguno, empuñando el arma y encomendándose a su dulce amiga, levantó la espada, y de un tajo abrió al macho cabrío la cabeza. El animal cayó derribado sobre la piedra donde se encontraba, y de ésta, en las convulsiones de la agonía, rodó al suelo.

Los soldados abandonaron sus parejas, desenvainaron la espada y se acercaron a proteger a Leonor y a Machain. Hubo un momento de confusión, chillidos, alaridos, carreras, riñas... Saint-Pée quiso reunir gente para atacar a Machain, pero nadie le siguió.

Graciana, más valiente que los hombres, se echó sobre Machain, sin espantarle la punta de su espada.

—¡Por Dios, no matarla! —decía Leonor.

Uno de los soldados agarró a Graciana por detrás, del pelo, y de un empujón la derribó a tierra. Graciana, presa de un ataque nervioso, quedó pataleando en el barro.

Las *sorguiñas* que rodeaban el trono del aquelarre seguían lanzando alaridos, y cogían piedras y palos, preparándose para vengarse de los intrusos.

En esto se oyó el canto de un gallo, y como por ensalmo todas las viejas arpías desaparecieron.

Machain dio la orden de partir, y Leonor y su amiga fueron escoltadas por los soldados, y otra vez marcharon por las sendas, contemplando las hogueras que brillaban en las cumbres de los montes. Leonor y Machain iban abstraídos mirando las estrellas, sin hablarse, oyendo los rumores del campo, llenos de vida, sintiendo la savia del mundo entero, que palpitaba en aquella misteriosa noche de San Juan.

Al pasar por la cueva de Zugarramurdi, Errotabide entró a sacar su caballo; había allí varias viejas que comenzaron a gritar desesperadamente al ver que el caballo aplastaba unos cuantos sapos vestidos. Errotabide se burló de ellas, que se vengaron tirándole piedras.

Unas horas después, Machain, con sus hombres, dejaban a Leonor y a su amiga en Sara, en casa de doña Micaela de Gaztelu.

Leonor se despidió de Machain y de los soldados, dándoles las gracias por el inmenso favor que le habían hecho, y al día siguiente marchaba a Urtubi.

9. Epílogo

Un año después, Graciana de Barrenechea, su marido y muchos de sus amigos y amigas *sorguiñas* eran presos por la Justicia española y llevados a las cárceles de la Inquisición de Logroño, condenados y sacados a la vergüenza pública en un acto de fe.

Leonor, que había vacilado mucho en contar a su tío lo que le ocurrió a ella la noche del aquelarre del día de San Juan, por fin se lo contó y le dijo que tenía amores con Machain, y que si el barón lo permitía, esperaba casarse con su salvador.

—No creía que Graciana pudiera ser tan loca —exclamó Urtubi—. Confieso que ese muchacho te prestó un gran servicio; pero, mi querida, el matrimonio no es sólo cuestión de inclinación o de agradecimiento, sino también de conveniencia. Yo te casaré con algún gentilhombre, y después harás lo que quieras.

Al ver que Leonor insistía, el barón dijo:

—Dejemos eso. Dentro de seis meses hablaremos.

Al cabo de seis meses, la dama de Urtubi estaba igualmente decidida a casarse con Miguel.

—Mire usted, tío —murmuró—: yo le quiero a usted como si fuera mi padre, pero no le puedo obedecer. No me he de casar más que con él, o si no entraré monja.

—No, eso, no. Prefiero un sobrino palurdo a que seas monja. Puesto que te empeñas, dile a ese mozo que aprenda a presentarse como un caballero, y cuando esté un poco desbastado, que venga.

—Pero Miguel no necesita aprender nada. Es un caballero.

El mismo día, Leonor avisó a Machain, quien se presentó en Urtubi. El barón creía habérselas con un aldeano, pero le sorprendió encontrarse con un militar fuerte, sereno y dueño de sí mismo. Miguel habló de su vida en América, de los países que había visto, de sus aventuras, y tuvo suspenso a Urtubi y lleno de interés.

El barón dio su asentimiento a la boda. Quería que su sobrina siguiera viviendo en el castillo; en cambio, Machain prefería hacer una casa propia.

Venció el criterio del novio, y éste comenzó a construir, a la salida del pueblo, una casita nueva. En el frontal de la puerta de entrada, Miguel no quiso poner escudo alguno; únicamente hizo grabar esta inscripción, que aún ahora puede leerse: «Miguel Machain y Leonor de Alzate la mandaron edificar en 1611».

Índice

La dama de Urtubi forma parte de una recopilación de relatos de Pío Baroja, publicada por Alianza Editorial bajo el título de *Cuentos* en su colección «El Libro de Bolsillo» con el número 7.

Otras obras del autor en Alianza Editorial:

Cuentos (LB 7)
El árbol de la ciencia (LB 50)
Las ciudades (LB 100)
La feria de los discretos (LB 426)

Títulos de la colección: